これだけは知っておきたい！

野菜園芸学の基本問題集

齊藤　秀幸

三恵社

はじめに

長年、野菜園芸学に関する教育研究に携わる中で、学生さんがつまずきやすいと思われる項目をピックアップし、(　　　)の穴埋め形式の問題集を作成してみました。野菜園芸学を学ばれる方々のご参考になる点があれば幸いです。

2020年4月1日　齊藤秀幸

増刷にあたりいくつかケアレスミスの修正を行いました。

2022年9月6日　齊藤秀幸

著者略歴

齊藤秀幸（さいとうひでゆき）

宮城大学食産業学群附属坪沼農場フィールド管理者（野菜園芸）

博士（農学）岩手大学

千葉大学園芸学部卒

野菜の花芽形成、園芸学教育、農業生産工程管理（GAP)、有機質資材の施用、ストレス反応、伝統野菜、西洋野菜等を研究

〒982-0215 仙台市太白区旗立2-2-1　宮城大学食産業学群 野菜園芸学研究室

saitohi@myu.ac.jp

本書の活用法

本書は問題編と解答編に分けて以下のように構成しております。

問題編では**「学習にあたって」**をまずお読みください。授業の前にお読みいただくと心構えにもなるかと思います。**解答編**では**「ミニ解説」**を設け、適宜、補足を行いました。また、**「終わりに」**を設け、今後に向けた学習の課題等に触れてみました。解答は書き込まず、ノート等に記載していただくと繰り返し使用できるかと思います。極力ヒントを排除した点、ご容赦ください。

（参考文献）　(1) 農学基礎シリーズ 野菜園芸学の基礎 篠原温 編著 農文協、(2) 野菜の生理・生態 斎藤隆 著 農文協、(3) 野菜の発育と栽培 藤目幸擴ら著 農文協、(4) 野菜の生態と作型 山川邦夫 著 農文協.

(問題編)

【野菜の起源地（17問）】

学習にあたって　野菜には実に多くの種類が存在しますし、現在も増え続けています。したがって起源地は世界各地に及びます。本項目では野菜の生理生態に直接触れるわけではありませんが、生理生態を理解する上で起源地を知ることはきわめて重要な情報です。その際、注意が必要なことは起源地の高度にも留意することです。たとえ熱帯地域でも高度が高ければ気温は低下します。複眼的な視点が必要です。

1. 野菜のルーツは世界中に及んでおり、(①　　　　　)、(②　　　　　　)・マレー　、(③　　　　　　　)～中央アメリカ、(④　　　　　　)アジア、(⑤　　　　)東、(⑥　　　　　　)沿岸、アフリカの(⑦　　　　　　　　)、(⑧　　　　　　)アメリカのアンデス山脈の八地域が主な起源地になっている。
2. ハクサイ、ダイズ、ネギの起源地は（⑨　　　　　　）といわれている。
3. キャベツ類、エンドウ、セルリーの起源地は（⑩　　　　　　　　）といわれている。
4. ダイコン、タマネギ、ニンジンの起源地は（⑪　　　　　　　　　）といわれている。
5. トウモロコシ、サツマイモ、ピーマンの起源地は（⑫　　　　　　　　）～（⑬　　　　　　　　　）　といわれている。
6. トマト、ジャガイモ、西洋カボチャの起源地は（⑭　　　　　　　　）～（⑮　　　　　　　）といわれている。
7. 野菜の起源地を考える上でロシアの遺伝学者（⑯　　　　　　　　）の（⑰　　　　　　　）中心説が多大な影響を及ぼした。

【収穫後の取り扱い（7問）】

学習にあたって　生鮮物である野菜は収穫後、急速に鮮度を失い、劣化していきます。朝採りが薦められるのは（人間の）暑さ対策であると同時に野菜の品質保持にも重要です。本項では収穫物の品質保持にはどのような工夫がなされているかを知り、また、果実の収穫後の特徴についても学習しましょう。

1. 収穫直後に、生産物を輸送あるいは貯蔵する後処理として、急速に品温を下げることを（①　　　）という。
2. 真空冷却（バキュームクーリング）では気圧を（②　　　　　）げて収穫した野菜の体内の水分を（③　　　　　）させ、蒸気熱を奪って冷却する。
3. 空気冷却（エアクーリング）では冷風を強制通風する。（④　　　　　）冷却方式では圧力差を利用して段ボールなどの容器に冷気を吸い込ませる。
4. 冷水冷却（ハイドロクーリング）では文字通り（⑤　　　　　）をかけて冷却するが、段ボール箱での出荷が多い日本では不向きとされることが多い。
5. 果実では収穫後、呼吸の高まりとともに（⑥　　　　　）熟していく（⑦　　　　　　　　　　）型を示す場合がある.

【野菜に栽培に関する基本用語（5問）】

学習にあたって　生産者と共通認識を持ちながら話をしていく上で用語の理解はきわめて重要です。本項目で採りあげた用語はごく一部ですが、常に関心を持って、積極的に使っていきましょう。英語と同じで使わないと身につかないと思います。

1. 野菜には温度適応性による分類もあり、（①　　　　　　　）は寒さに強い。
2. 果菜類をはじめ、多くの野菜では（②　　　　）が様々に分化している。
3. メロンやスイカは（③　　　　　　　）といわれている。
4. 果菜類の果実育成のための温度管理は、一般的に（④　　　　　　）温管理といわれ、光合成促進温度 ⇒ 転流促進温度 ⇒呼吸消耗（⑤　　　　　）促進温度の各局面から成り立っている。

【野菜生産に関する法規・基準（5問）】

学習にあたって　皆さんの中には、法規や基準に関心の薄い方が少なくないかもしれません。確かにあまり面白みのない分野かもしれませんが、園芸は人と植物との関わりを追究する側面があります。決して多くはありませんので、丁寧に見ていきましょう。

1. 野菜の生産は気象条件に左右されて、価格が安定しにくい。そのため、（①　　　　　　　　　）法で農家への（②　　　　　）が行われている。
2. 農林水産省は化学肥料や化学合成農薬の使用についてガイドラインを定め、それらに適合した生産物に（③　　　　　　）マークの使用を認めている。
3. 適正農業規範あるいは農業生産工程管理と訳されることの多い認証システムであり、アルファベットで（④　　　　　　）と略称される。
4. 農薬の残留基準を定めた制度であり、（⑤　　　　　　　）リストといわれる。

【ダイコン（3問）】

学習にあたって　多くの地域在来種が存在しています。調べてみると面白いと思います。

1. ダイコンの空洞症に影響する植物ホルモンは（①　　　　　　　　　）である。
2. ダイコンで抽根性の品種ほど（②　　　　　　　）が抽出している。
3. ダイコンには多くの地域在来種が存在するが、現在の品種の多くは（③　　　　　）系の血が濃いといわれる。

【ウリ科野菜（24問）】

学習にあたって　ウリ科野菜は、キュウリ、スイカ、メロン、カボチャ等、日本人の食に密接です。ウリ科野菜として共通の性質は何か？また、逆に各種の生理生態的な違いは何か？よく注意して学びましょう。

1. 一般的にウリ類は花器の性の分化について（①　　　　　　　）型であるが、メロンは（②　　　　　　　　　）型である。
2. ウリ類の雌花着生は（③　　　　）温（④　　　　）日で促進される。
3. ウリ類では、一般的に（⑤　　　　　　　）施与は、雄花の分化を助長する。
4. （⑥　　　　　　）（液体物質）はウリ類の雄花の分化を抑制し、雌花の分化を助長する。
5. ウリ類は子房下位で（⑦　　　　）果である。
6. ウリ類の転流物質の主体は（⑧　　　　　　　）である。
7. ウリ類の中で最も単為結果性の強いものは（⑨　　　　　）である。
8. （⑩　　　　　　）は華北型と華南型に大別される。
9. カボチャに接ぎ木する目的のひとつに（⑪　　　）温伸長性の（⑫　　　　）がある。
10. （⑬　　　　　　　　）とは、果実の表面に白い粉が付着したようになり、光沢が悪くなる現象である。
11. キュウリのルーツは（⑭　　　　　　　　）南山麓の地である。
12. メロンのルーツは（⑮　　　）アフリカ、（⑯　　　）アジアである。
13. ウリ類の中で（⑰　　　　　　）が最も低温性である。
14. キュウリの（⑱　　　　　）果は、果実内での光合成産物の分配に競合が起きると生じやすい。
15. ウリ類の場合、頂芽は常に栄養成長を続け、側芽は生殖成長に転じる（⑲　　　　）分枝である。
16. ウリ類の花の性の分化はAging（生育の進行）にも影響されるという報告があり、Ageが進行するほど（⑳　　　　）花が付きやすくなる。
17. カボチャは、ニホンカボチャ、セイヨウカボチャ、（㉑　　ペポ　　）カボチャの3系統に大別される。

18.　ウリ類は（㉒　　　　　）家受粉である。

19.　メロンのネット形成のメカニズムは、（㉓　　　　　）細胞の肥大停止　⇒　内部組織の肥大継続　⇒　表皮の（㉔　　　　　）である。

【タマネギ・ネギ（14問）】

学習にあたって　タマネギとネギは生育の途中まで似た姿です。いつからどのように変わっていくのか？そのあたりを意識することが学習のポイントと思います。

1.　タマネギの花芽分化は（①　　　　　）温（②　　　　　）日で促進される。また、鱗茎の肥大は（③　　　　　）日で促進される。

2.　タマネギ鱗茎は外側か、茶色くて薄い（④　　　　　）葉、（⑤　　　　　）葉、（⑥　　　　　）葉、（⑦　　　　　）葉となる。

3.　ネギの花芽分化は（⑧　　　　　）温（⑨　　　　　）日で促進される。

4.　タマネギ・ネギは低温感応性については（⑩　　　　　）感応型である。

5.　元来、（⑪　　　　　）ネギの生産は西日本で多く、（⑫　　　　　）ネギの生産は東日本で多かったが、最近ではあまり差はなくなってきている。

6.　（⑬　　　　　）ネギでは何度も培土を行い、葉鞘の（⑭　　　　　）部分を長く伸ばす。

【ナス科野菜（22問）】

学習にあたって　ウリ科と同様にナス科の野菜も日本人の食に密接です。鑑賞価値の高いものが多く、トマトは昔、観賞用でした。一方、ナスには伝統野菜としての品種もみられ、調べて見ると興味が持たれるかもしれません。

1. ナス類は（①　　　　　）家受粉である。
2. ナスは生育環境が悪くなると（②　　　　）花柱花が増える。
3. （③　　　　）花柱花は落花率が（④　　　　）い。
4. トマトの尻腐れ果の発生は（⑤　　　　　　　　）の不足で起こりやすい。
5. トマトの乱形果は花芽分化期の（⑥　　　　）温の場合に発生しやすい。
6. 乱形果とは養水分の（⑦　　　　　）も原因しており、（⑧　　　　　）心皮の子房が作られ、発生する。
7. ナスの生理障害である（⑨　　　　　　）は低温によって受粉・受精が進まず、果実が発育しないことが要因である。
8. ナスの結実を促進する植物ホルモンは（⑩　　　　　　　）である。
9. （⑪　　　　　　　）濃度が離層部を境に子房部側で（⑫　　　　　）く、茎葉部側で（⑬　　　　　　）いと落花する。
10. 茎頂部に花芽を分化して頂芽が伸長を停止し、これに代わって腋芽が伸長して主軸を形成するパターンを（⑭　　　　　）軸分枝という。このパターンはナス科の野菜に当てはまる。
11. トマトでは（⑮　　　　　）葉、ナス、ピーマンでは（⑯　　　　　）葉を新たに分化すると、再び花芽を分化する。
12. トマトの裂果の原因のひとつは、果実肥大後期の直射光照射による細胞の（⑰　　　　　　）である。
13. トマトの原産地は南米アンデスの（⑱　　　　　）地である。したがって、暑さには（⑲　　　　　　）。
14. ナス、トマト、ピーマンを比べた場合、最も高温性のものは（⑳　　　　　　）である。
15. ナス類の花芽形成は本葉が３枚展開した時点で起こって（㉑　　　　　　）

ことが多い。

16. ナスの仕立て方は、いわゆる（㉒　　　　　）本仕立てが多い。

【ホウレンソウ（5問）】

学習にあたって　**夏の暑い時期に発芽率が落ちます。ホウレンソウは代表的な葉物野菜です。この機会に学びを深めましょう。**

1. ホウレンソウには東洋系と西洋系があり、（①　　　　　　　）に敏感に反応するのは東洋系である。
2. ホウレンソウは低温感応性については（②　　　　　　　）感応型である。
3. ホウレンソウにおいて、東洋系品種は葉先が（③　　　　　　）、株元が（④　　　　　）なるが、西洋系品種は葉が（⑤　　　　　　）。

【ハーブ類（2問）】

学習にあたって　**ハーブが野菜？と違和感を持たれた方もいらっしゃるのではないかと思います。野菜とは何か？それを考える上で面白い素材かもしれません。**

1 .野菜として取り扱われる種類は年々増加傾向であり、近年はいわゆるハーブ類も取り込んでおり、（①　　　　　）野菜類と呼ばれる。

2. ハーブのペパーミント、バジル、ローズマリー等は（②　　　　　　）科である。

【イチゴ（12 問）】

学習にあたって　**日本はイチゴに関する研究・育種が盛んであり、イチゴ王国といえるかと思います。生理生態も他の野菜とは雰囲気が異なり、独特です。なぜか？考えながら学習を進めてください。**

1. 一般的にイチゴの花芽分化の環境条件と休眠誘導の環境条件は同様であり、（①　　　　　）温（②　　　　）日である。
2. 四季成性のイチゴ品種では日長が（③　　　　　）いほど花房数が増加しやすい。
3. イチゴの転流糖は（④　　　　　　　　　　）が主体である。
4. イチゴの（⑤　　　　　）托の発育はオーキシンで著しく促進される。
5. イチゴのいわゆる粒々は痩果と呼ばれ、（⑥　　　　　）と読み、植物学的には（⑦　　　　　　）である。したがって、イチゴは偽果といえる。
6. イチゴの株冷蔵は、（⑧　　　　　　）地では抑制栽培で行われる。

7 イチゴは栄養繁殖性であり、（⑨　　　　　　　　）の先端に形成される子株で増える。

8. （⑩　　　　　　　　　）は匍匐（ほふく）茎と呼ばれ、節間伸長した（⑪　　　　）である。
9. イチゴの短縮茎は（⑫　　　　　　）と呼ばれる。

【花蕾類（7 問）】

学習にあたって　**キャベツの仲間です。そのように考えると興味が持たれるかと思います。各種の生理障害に対する理解がポイントになります。少々ややこしいですが、頑張ってついていきましょう。**

1. 花蕾類における代表的な生理障害を述べる。

（①　　　　　　　　　）は幼期を過ぎたばかりの幼植物が低温に遭遇し、きわめて低節位に花蕾を形成した場合である。

（②　　　　　　　　　）は、花蕾形成後の温度が高くなると起こり、花蕾の表面は著しく毛羽立っている。

（③　　　　　　　　　）は、花蕾形成後の低温が続かず、花蕾発育より高い温度に遭遇したため、花蕾内部から（④　　　　　　　）葉が立ち上がってくる現象である。

（⑤　　　　　　　　　）は、花蕾形成後に肥大適温より低温に遭遇して、花芽原基の発育が停止することなく続いて麦粒のようになったものである。

2.　（⑥　　　　　　　　　　　）では、花芽原基の分化後、その発達が停滞して増加を続け、がく片などの花器は形成していない。

3.　ブロッコリー、カリフラワーでは、花芽分化の温度が（⑦　　　　　）めである。

【低温感応性（13 問）】

学習にあたって　**少々難解な分野です。丁寧に学習しましょう。**

1.　低温感応は低温に遭うことで（①　　　　　）芽を分化する現象である。

2.　種子感応型の野菜には（②　　　　　　　）、（③　　　　　　　　）、（④　　　　　　　）がある。

3.　緑植物感応型の野菜には（⑤　　　　　　　）、（⑥　　　　　　　　）、（⑦　　　　　　　）がある。

4.　低温感応性野菜の花芽形成は（⑧　　　　　　　　　　　）施与で助長される。

5.　抽だいと節間伸長の違いは（⑨　　　　　　　　　　）の有無である。

6.　（⑩　　　　　　　）とは、夜間に低温に感応しても昼間高温に遭遇することで低温の作用が消去される現象である。

7.　レタス（（⑪　　　　　　　）科）の花芽分化は（⑫　　　　　）温（⑬　　　　　　）日で起こる。

【イモ類（10問）】

学習にあたって　イモ類の場合、何が変形肥大したものか？という視点が重要です。茎が変形肥大するパターンと根が変形肥大するパターンに大別されます。そのあたりを念頭に学習を進めてください。

1. ヤマイモの場合、比較的地表面近くにある（①　　　　　　　）根から養水分を吸収する。
2. ヤマイモの可食部(イモ)は(②　　　　　　　　　)と呼ばれ、(③　　　　　)と（④　　　　　）の中間的な性質である。
3. ジャガイモの（⑤　　　　　）茎、サトイモの（⑥　　　　　）茎　の形成は短日で（⑦　　　　　　）される。
4. 植物ホルモンである（⑧　　　　　　　　　）はジャガイモの塊茎形成に対して抑制的に作用する。
5. サツマイモの塊根形成は（⑨　　　　　　）日ほど助長される。
6. サツマイモの塊根収量は（⑩　　　　　　）濃度が高いと増大する。

【葉球類（8問）】

学習にあたって　葉球形成のメカニズムが頻出です。よく確認しておきましょう。

1. ハクサイの葉球は外葉と（①　　　　　　）葉に大別される。
2. ハクサイ等で早生品種には葉（②　　　　）型が多い。
3. ハクサイ等の葉球形成の原理は（③　　　　　）葉の発達による茎頂部の（④　　　　　）で説明される。
4. ハクサイ等の葉球形成に係る植物ホルモンは主に（⑤　　　　　　　　　）である。
5. タマネギの鱗葉球は（⑥　　　　　）日で形成する。
6. （⑦　　　　　　　）　とは葉球重に対する葉位別葉重の百分比である。
7. タマネギで北海道の品種・札幌黄は限界日長が（⑧　　　　　）い。

【直根類（7問）】

学習にあたって　**どの部位が肥大するのか？しっかり確認しておきましょう。**

1. 直根＝（　①　　　　　　）＋胚軸である。
2. ニンジンは（②　　　　　）部肥大型である。
3. ダイコンは（③　　　　　）部肥大型である。
4. T／R 率は地上部と地下部の重さの比率であり、生育後期には（　④　　　　　）となる
5. ダイコンのす入りは一種の（⑤　　　　　　）現象である。
6. ダイコンの根形は播種後（⑥　　　　　　）日を過ぎた辺りから明確になってくるとされる。
7. （⑦　　　　　　）はカブとダイコンに共通してみられる品種名である。

【マメ類（9問）】

学習にあたって　**花弁の形が独特です。しっかりと確認しましょう。**

1. ダイズは（①　　　　　）させて収穫するが、エダマメは（②　　　　　）果で収穫を行う。
2. エダマメの晩生品種の花芽形成は日長の影響を強く受け、（③　　　　　）日で花芽分化する。
3. エンドウは（④　　　　　）日で花芽分化する。
4. マメ類の花弁の特徴は（⑤　　　　　）弁、（⑥　　　　　）弁、（⑦　　　　　）弁である。
5. マメ類は（⑧　　　　　）果である。
6. 秋播きのエンドウは（⑨　　　　　）温で花芽分化する。

（解答編）

【野菜の起源地（17問）】

1. 野菜のルーツは世界中に及んでおり、（①　中国　）、（②　インド　）・マレー　、（③　メキシコ　）～中央アメリカ、（④　中央　　）アジア、（⑤近　）東、（⑥　地中海　　）沿岸、アフリカの（⑦　　アビシニア　）、（⑧南　　）アメリカのアンデス山脈の八地域が主な起源地になっている。
   （ミニ解説）野菜の起源地を知ることは野菜の生理・生態を知ることに通じます。栽培管理を行う上で重要なポイントです。
2. ハクサイ、ダイズ、ネギの起源地は（⑨　中国　　）といわれている。
3. キャベツ類、エンドウ、セルリーの起源地は（⑩　　地中海岸　）といわれている。
4. ダイコン、タマネギ、ニンジンの起源地は（⑪　　中央アジア　）といわれている。
5. トウモロコシ、サツマイモ、ピーマンの起源地は（⑫　メキシコ　　　）～（⑬中央アメリカ　　　）　といわれている。
6. トマト、ジャガイモ、西洋カボチャの起源地は（⑭　中央アメリカ　　）～（⑮南アメリカ　　）といわれている。
   （ミニ解説）ちなみにニホンカボチャはメキシコ～中央アメリカが起源といわれています。
7. 野菜の起源地を考える上でロシアの遺伝学者（⑯　バビロフ　　）の（⑰遺伝子　　　　）中心説が多大な影響を及ぼした。
   （ミニ解説）遺伝的変異の最も多い地域に注目した説です。

終わりに　野菜の生理生態を理解する上で起源地を知ることは重要ですが、何属の野菜か？ということを知ることも重要です。属が同じであれば、花芽分化に対する環境条件等が類似する可能性があります。できれば科の下の分類である属まで知っておいた方が良いでしょう。

【収穫後の取り扱い（7問）】

1. 収穫直後に、生産物を輸送あるいは貯蔵する後処理として、急速に品温を下げることを（①予冷　）という。
2. 真空冷却（バキュームクーリング）では気圧を（②　　下　　）げて収穫した野菜の体内の水分を（③　気化　　）させ、蒸気熱を奪って冷却する。
3. 空気冷却（エアクーリング）では冷風を強制通風する。（④　差圧通風　）冷却方式では圧力差を利用して段ボールなどの容器に冷気を吸い込ませる。
4. 冷水冷却（ハイドロクーリング）では文字通り（⑤　冷水　　）をかけて冷却するが、段ボール箱での出荷が多い日本では不向きとされることが多い。
5. 果実では収穫後、呼吸の高まりとともに（⑥　追　　）熟していく（⑦　クライマクテリック　　）型を示す場合がある.

（ミニ解説）メロンやトマトが代表的。

終わりに　皆さんの中には「コールドチェーン」という言葉をご存知の方もいらっしゃるのではないかと思います。本項はその一端に触れたことになります。しかし、過度の低温は障害をもたらします。その点も整理しておくと良いでしょう。

【野菜に栽培に関する基本用語（5問）】

1. 野菜には温度適応性による分類もあり、（①　低温性野菜　）は寒さに強い。
（ミニ解説）「低温感応性」とする誤答が目立ちます。「低温感応性」は花芽形成に関する用語なので、混同しないように。また、「高温性野菜」という言葉もありますが、この機会に確認しておきましょう。
2. 果菜類をはじめ、多くの野菜では（②　作型　）が様々に分化している。
（ミニ解説）「型」の漢字に誤記が目立ちますので、ご注意。なお、促成栽培、抑制栽培等も作型の表現です。
3. メロンやスイカは（③　果実的野菜　）といわれている。
（ミニ解説）「野菜的果実」とする誤記が目立ちます。
4. 果菜類の果実育成のための温度管理は、一般的に（④　　変　　　）温管理といわれ、光合成促進温度 ⇒ 転流促進温度 ⇒呼吸消耗（⑤　　抑制　）温度の各局面から成り立っている。

（ミニ解説）日中から夜間にかけて段階的に温度を下げます。メロンの産地が北海道や海沿いの地域に多いのは昼夜温の較差が大きいためです。

【野菜生産に関する法規・基準（5問）】

1. 野菜の生産は気象条件に左右されて、価格が安定しにくい。そのため、（①　野菜生産出荷安定　）法で農家への（②　補償　　）が行われている。

   （ミニ解説）「補償」の漢字に注意。同音異義語が多いので、ご注意。なお、野菜の種類や地域が指定されています。

2. 農林水産省は化学肥料や化学合成農薬の使用についてガイドラインを定め、それらに適合した生産物に（③　有機JAS　）マークの使用を認めている。

3. 適正農業規範あるいは農業生産工程管理と訳されることの多い認証システムであり、アルファベットで（④　　GAP　　）と略称される。

   （ミニ解説）日本ではグローバルGAP、JGAP、ASIAGAPがよく知られています。安全な農産物を生産することや労働安全の確保等を目的としています。

4. 農薬の残留基準を定めた制度であり、（⑤　ポジティブ　　）リストといわれる。

   （ミニ解説）ネガティブリストとの違いも確認しておいてください。

終わりに　近年、東京オリンピックにおける食の問題からＧＡＰに関心が集まっています。各種ありますが、それぞれの違いについて調べて見るのも面白いかと思います。

【ダイコン（3 問)】

1. ダイコンの空洞症に影響する植物ホルモンは（①　サイトカイニン　　）である。
2. ダイコンで抽根性の品種ほど（②　　胚軸　　　）が抽出している。

（ミニ解説）ちなみにカブの場合、可食部は胚軸になります。ダイコンの場合は胚軸と主根です。

3. ダイコンには多くの地域在来種が存在するが、現在の品種の多くは（③宮重　）　系の血が濃いといわれる。

【ウリ科野菜（24 問)】

1. 一般的にウリ類は花器の性の分化について（①　　雌雄同株　　）型であるが、メロンは（②　両性雄性同株　　）型である。

（ミニ解説）参考書によっては、メロンの場合、両性花を雌花と表現する場合があるので、要注意。

2. ウリ類の雌花着生は（③　低　　）温（④　　短）日で促進される。
3. ウリ類では、一般的に（⑤　ジベレリン　）施与は、雄花の分化を助長する。
4. （⑥　エスレル　）（液体物質）はウリ類の雄花の分化を抑制し、雌花の分化を助長する。

（ミニ解説）エスレル（液体）はエチレン（気体）の前駆物質です。

5. ウリ類は子房下位で（⑦　偽　　　）果である。
6. ウリ類の転流物質の主体は（⑧　スタキオース　）である。

（ミニ解説）主たる転流糖の種類は「科」によって違っているので、要チェック。

7. ウリ類の中で最も単為結果性の強いものは（⑨　キュウリ　）である。

（ミニ解説）単為結果とは、受粉・受精がまったく行われなくても、果実が発育する現象です。

8. （⑩　キュウリ　）は華北型と華南型に大別される。

（ミニ解説）現在では固定種の栽培は減り、大部分が雑種第一代品種（F_1）です。

9. カボチャに接ぎ木する目的のひとつに（⑪　低　）温伸長性の（⑫　付与　）がある。

10. （⑬　ブルーム　）とは、果実の表面に白い粉が付着したようになり、光沢が悪くなる現象である。

11. キュウリのルーツは（⑭　　ヒマラヤ　　）南山麓の地である。

12. メロンのルーツは（⑮　北　）アフリカ、（⑯　西　）アジアである。

13. ウリ類の中で（⑰　カボチャ　）が最も低温性である。

（ミニ解説）カボチャについては、台木としての目的（低温伸長性の付与）を想起。

14. キュウリの（⑱　曲がり　）果は、果実内での光合成産物の分配に競合が起きると生じやすい。

15. ウリ類の場合、頂芽は常に栄養成長を続け、側芽は生殖成長に転じる（⑲　単軸　　）分枝である。

（ミニ解説）ウリ科のみならず、ナス科野菜でも同様ですが、果菜類の場合、栄養成長と生殖成長のバランスが大切です。

16. ウリ類の花の性の分化はAging（生育の進行）にも影響されるという報告があり、Ageが進行するほど（⑳　　雌　）花が付きやすくなる。

（ミニ解説）Agingは少々分かりにくい概念かもしれません。先端の若い組織ほどAgingが進んでいることになります。

17. カボチャは、ニホンカボチャ、セイヨウカボチャ、（㉑　　ペポ　　）カボチャの3系統に大別される。

（ミニ解説）ズッキーニはペポカボチャの一種である。

18. ウリ類は（㉒　　他　　）家受粉である。

19. メロンのネット形成のメカニズムは、（㉓　　表皮　）細胞の肥大停止　⇒　内部組織の肥大継続　⇒　表皮の（㉔　　亀裂　）である。

終わりに　**設問では触れませんでしたが、変温管理が重要となります。【野菜に栽培に関する基本用語等（5問）】で確認しましょう。**

【タマネギ・ネギ（13 問）】

1. タマネギの花芽分化は（①　低　　　）温（②　長　　　）日で促進される。また、鱗茎の肥大は（③　長　　　）日で促進される。

（ミニ解説）鱗茎は鱗片葉ともいわれます。

2. タマネギ鱗茎は外側から、茶色くて薄い（④　　　保護　　）葉、（⑤　　肥厚　　）葉、（⑥　貯蔵　　　）葉、（⑦　　萌芽　　）葉となる。

3. ネギの花芽分化は（⑧　低　　　）温（⑨　短　　　）日で促進される。

（ミニ解説）タマネギとネギでは花芽形成に対する日長条件が異なる点に注意。もしタマネギが短日で花芽分化するとしたら、鱗茎の肥大が不十分なうちに抽だいしてしまうことになります。

4. タマネギ・ネギは低温感応性については（⑩　　緑植物　　）感応型である。

（ミニ解説）緑植物感応型では、ある程度、植物体が成長してから低温に感応する。大きさの目安は葉鞘部の直径で表されることが多い。

5. 元来、（⑪　葉　　　）ネギの生産は西日本で多く、（⑫　根深　　　）ネギの生産は東日本で多かったが、最近ではあまり差はなくなってきている。

6. （⑫　根深　　）ネギでは何度も培土を行い、葉鞘の（⑬　　軟白　　）部分を長く伸ばす。

【ナス科野菜（22 問）】

1. ナス類は（①　　自　　）家受粉である。

2. ナスは生育環境が悪くなると（②　短　　）花柱花が増える。

（ミニ解説）生育環境が悪い場合とは、低日照、高夜温、肥料不足が代表的。ナスの花は下向きに咲くので、受粉には長花柱花が有利。

3. （③　短　　）花柱花は落花率が（④　高　　）い。

4. トマトの尻腐れ果の発生は（⑤　カルシウム　　　）の不足で起こりやすい。

5. トマトの乱形果は花芽分化期の（⑥　低　　）温の場合に発生しやすい。

6. 乱形果とは養水分の（⑦　　過剰　　）も原因しており、（⑧　　多　　）心皮の子房が作られ、発生する。

7. ナスの生理障害である（⑨　石ナス　　）は低温によって受粉・受精が進まず、果実が発育しないことが要因である。

8. ナスの結実を促進する植物ホルモンは（⑩　オーキシン　　）である。

9. （⑪　オーキシン　　）濃度が離層部を境に子房部側で（⑫　　低　　）く、茎葉部側で（⑬　　高　　）いと落花する。

10. 茎頂部に花芽を分化して頂芽が伸長を停止し、これに代わって腋芽が伸長して主軸を形成するパターンを（⑭　　仮　　）軸分枝という。このパターンはナス科の野菜に当てはまる。

11. トマトでは（⑮　　3　　）葉、ナス、ピーマンでは（⑯　　2　　）葉を新たに分化すると、再び花芽を分化する。

（ミニ解説）何葉で果実１果（房）を養うか？という視点は重要。

12. トマトの裂果の原因のひとつは、果実肥大後期の直射光照射による細胞の（⑰　老化　　　）である。

13. トマトの原産地は南米アンデスの（⑱　　高原　　）地である。したがって、暑さには（⑲　　弱い　　）。

14. ナス、トマト、ピーマンを比べた場合、最も高温性のものは（⑳　ピーマン　）である。

（ミニ解説）いくら高温性とはいっても35℃を超えるような猛暑では生育が衰えます。最近の猛暑への対策は重要です。

15. ナス類の花芽形成は本葉が３枚展開した時点で起こって（㉑　　いる　　）ことが多い。

（ミニ解説）苗作りの重要さについて「苗半作」という言葉があります。苗作りが上手くいけば、栽培は半分成功したも同じという意味です。

16. ナスの仕立て方は、いわゆる（㉒　3　　）本仕立てが多い。

（ミニ解説）側枝を３本伸ばす手法。

終わりに　ナス科の野菜も変温管理が大事です。その点、確認しておきましょう。最近ではパプリカの需要が伸びています。一方、ナスについては単為結果性品種の登場が最近の話題です。

【ホウレンソウ（5問）】

1. ホウレンソウには東洋系と西洋系があり、(① 日長 ）に敏感に反応するのは東洋系である。
2. ホウレンソウは低温感応性については（② 種子 ）感応型である。
（ミニ解説）種子感応型では、種子の吸水直後から低温に感応します。
3. ホウレンソウにおいて、東洋系品種は葉先が (③ とがり)、株元が (④ 赤く ）なるが、西洋系品種は葉が（⑤ 丸い ）。
（ミニ解説）近年は東洋系と西洋系の交雑種が多い。

【ハーブ類（2問）】

1 .野菜として取り扱われる種類は年々増加傾向であり、近年はいわゆるハーブ類も取り込んでおり、(① 香辛 ）野菜類と呼ばれる。
2. ハーブのペパーミント、バジル、ローズマリー等は（② シソ ）科である。

終わりに　本項目ではシソ科について触れましたが、アブラナ科にもハーブ的なものがあると思います。ワサビをハーブとみる見解もあります。また、香りはどのようにして発生するか？調べてみると面白いかと思います。

【イチゴ（12 問）】

1. 一般的にイチゴの花芽分化の環境条件と休眠誘導の環境条件は同様であり、（①　低　　　）温（②　短　　）日である。
2. 四季成性のイチゴ品種では日長が（③　　長　　）いほど花房数が増加しやすい。

（ミニ解説）一季成性品種（現在の品種の大部分）と四季成性品種では花芽分化に対する環境条件が異なります。この機会によく確認しておいてください。

3. イチゴの転流糖は（④　　ソルビトール　　　）が主体である。

（ミニ解説）転流糖ソルビトールはバラ科の特徴です。

4. イチゴの（⑤　　果　　）托の発育はオーキシンで著しく促進される。

（ミニ解説）「花托」は「果托」（可食部）になります。「花托」は「花床」と呼ばれることがあります。厳密には区別すべきですが、実質的にはあまり変わりません。

5. イチゴのいわゆる粒々は痩果と呼ばれ、（⑥　そうか　）と読み、植物学的には（⑦　　果実　　）である。したがって、イチゴは偽果といえる。

（ミニ解説）イチゴの粒々は一見すると種子に見えますが、果皮を有する立派な果実です。

6. イチゴの株冷蔵は、（⑧　　寒冷　　）地では抑制栽培で行われる。

7 イチゴは栄養繁殖性であり、（⑨　　ランナー　　）の先端に形成される子株で増える。

8. （⑩　　ランナー　　）は匍匐（ほふく）茎と呼ばれ、節間伸長した（⑪　側芽　）である。
9. イチゴの短縮茎は（⑫　クラウン　　　）と呼ばれる。

終わりに　イチゴの大きな特徴は休眠があることです。あたかも木のようです。そのように捉えれば分かりやすいかもしれません。

【花蕾類（7 問）】

1. 花蕾類における代表的な生理障害を述べる。

（①　　バトニング　　　）は幼期を過ぎたばかりの幼植物が低温に遭遇し、きわめて低節位に花蕾を形成した場合である。

（②　　ファジー　　　）は、花蕾形成後の温度が高くなると起こり、花蕾の表面は著しく毛羽立っている。

（③　　リーフィー　　　）は、花蕾形成後の低温が続かず、花蕾発育より高い温度に遭遇したため、花蕾内部から（④　　包　　）葉が立ち上がってくる現象である。

（⑤　　ライシー　　　）は、花らい形成後に肥大適温より低温に遭遇して、花芽原基の発育が停止することなく続いて麦粒のようになったものである。

2. （⑥　　カリフラワー　　　）では、花芽原基の分化後、その発達が停滞して増加を続け、がく片などの花器は形成していない。

（ミニ解説）カリフラワーとブロッコリーの区別について、色の違いを挙げる方が多いですが、正しくはなく、収穫時の花蕾の発達程度の違いであることに留意してください。

3. ブロッコリー、カリフラワーでは、花芽分化の温度が（⑦　高　　）めである。

終わりに **本項目では「座止」について触れませんでしたが、一応、確認してみてください。最近ではユニークな形の品種も出回っています。興味のある方は調べてみると面白いかと思います。**

【低温感応性（13 問）】

1. 低温感応は低温に遭うことで（①　花　　）芽を分化する現象である。
2. 種子感応型の野菜には（②ダイコン　　）、（③カブ　　　　　）、（④ハクサイ　　　）がある。

（ミニ解説）種子感応型では種子の吸水直後から低温感応が始まる。

3. 緑植物感応型の野菜には（⑤キャベツ　　　）、（⑥ニンジン　　　　）、（⑦タマネギ　　　　）がある。

（ミニ解説）緑植物感応型では、ある程度、植物体が成長してから低温に感応する。大きさの目安は子葉着生部下の茎（胚軸）の直径で表されることが多い。

4. 低温感応性野菜の花芽形成は（⑧ジベレリン　　　）施与で助長される。
5. 抽だいと節間伸長の違いは（⑨　花芽分化　　　）の有無である。
6. （⑩　脱春化　　）とは、夜間に低温に感応しても昼間高温に遭遇することで低温の作用が消去される現象である。

（ミニ解説）離春化ともいいます。ちなみに低温は一般的に 0～13℃程度、高温は 17℃程度～と考えられています。トンネル被覆栽培が行われます。

7. レタス（（⑪　キク　　　）科）の花芽分化は（⑫　高　　）温（⑬　長　　）日で起こる。

（ミニ解説）品種による差がありますが、25℃以上で花芽分化するようです。

終わりに　レタスの花芽分化条件が独特です。冷涼地が産地となっているのはそのためです。

【イモ類（10問）】

1. ヤマイモの場合、比較的地表面近くにある（①　吸収　　　　）根から養水分を吸収する。
2. ヤマイモの可食部(イモ)は(②　担根体　　　　)と呼ばれ、(③　茎　　　)と（④　根　　　）の中間的な性質である。
3. ジャガイモの（⑤　塊　　）茎、サトイモの（⑥　球　　）茎　の形成は短日で（⑦　促進　　　）される。
4. 植物ホルモンである（⑧　ジベレリン　　）はジャガイモの塊茎形成に対して抑制的に作用する。
5. サツマイモの塊根形成は（⑨　　長　　）日ほど助長される。
6. サツマイモの塊根収量は（⑩　カリ　　）濃度が高いと増大する。

終わりに　**イモ類の肥大促進は光合成量の影響が多大です。日当たりが重要です。**

【葉球類（8問）】

1. ハクサイの葉球は外葉と（①　　球　　）葉に大別される。
2. ハクサイ等で早生品種には葉（②　重　　）型が多い。

（ミニ解説）逆に葉数型の場合、多くの葉を分化させる必要があるから、自ずと晩生になります。

3. ハクサイ等の葉球形成の原理は（③　　外　）葉の発達による茎頂部の（④　遮光　）で説明される。
4. ハクサイ等の葉球形成に係る植物ホルモンは主に（⑤　オーキシン　　）である。

（ミニ解説）屈光性と同じ原理です。

5. タマネギの鱗葉球は（⑥　長　　）日で形成する。
6. （⑦　葉球重比　）　とは葉球重に対する葉位別葉重の百分比である。
7. タマネギで北海道の品種・札幌黄は限界日長が（⑧　長　　）い。

終わりに　**葉球形成にはＣ／Ｎ比も重要です。確認しておきましょう。**

【直根類（7 問）】

1. 直根＝（　①　主根　　）＋胚軸である。
2. ニンジンは（②　師　　）部肥大型である。
3. ダイコンは（③　木　　）部肥大型である。
4. T／R 率は地上部と地下部の重さの比率であり、生育後期には（ ④　1 以下　）となる

（ミニ解説）R は地下部の重さなので、次第に分母の数値が大きくなることを意味します。

5. ダイコンのす入りは一種の（⑤　過熟　　）現象である。

（ミニ解説）「す入り」といっても特に若い方はぴんとこないかもしれません。がさがさしたスポンジ状の食感です。収穫適期を過ぎて、細胞が死んだことが原因です。

6. ダイコンの根形は播種後（⑥　40　　　）日を過ぎた辺りから明確になってくるとされる。
7. （⑦　聖護院　　）はカブとダイコンに共通してみられる品種名である。

（ミニ解説）一般常識でもあるので、この機会にインプットしましょう。

【マメ類（9 問）】

1. ダイズは（①　完熟　　）させて収穫するが、エダマメは（②　未熟　　）果で収穫を行う。
2. エダマメの晩生品種の花芽形成は日長の影響を強く受け、（③　短　　）日で花芽分化する。
3. エンドウは（④　長　　）日で花芽分化する。
4. マメ類の花弁の特徴は（⑤　旗　　）弁、（⑥　翼　　）弁、（⑦　竜骨　　）弁である。
5. マメ類は（⑧　真　　）果である。
6. 秋播きのエンドウは（⑨　低　　）温で花芽分化する。

これだけは知っておきたい!野菜園芸学の基本問題集

2020年3月31日　初版発行
2023年1月31日　第二刷発行

著　者　齊藤　秀幸

定価（本体価格1,050円+税）

発行所　株式会社　三恵社
〒462-0056　愛知県名古屋市北区中丸町2-24-1
TEL:052(915)5211
FAX:052(915)5019
URL:http://www.sankeisha.com

ISBN978-4-86693-230-9 C3061 ¥1050E